절레절레 전래동화

발 행 | 2024년 2월 9일

저 자 | 지킹8

펴낸이 | 한건희

펴낸곳 | 주식회사 부크크

출판사등록 | 2014.07.15.(제2014-16호)

주 소 | 서울특별시 금천구 가산디지털1로 119 SK트윈타워 A동 305호

전 화 | 1670-8316

이메일 | info@bookk.co.kr

ISBN | 979-11-410-7075-5

www.bookk.co.kr

ⓒ 지킹8 2024

절레절레
전래동화

절레절레 전래동화

지킹8 지음

차례

흑불이
청년

202X년, 악성 곱슬을 가진 한 청년이 있었습니다.
그의 이름은 김혹불.

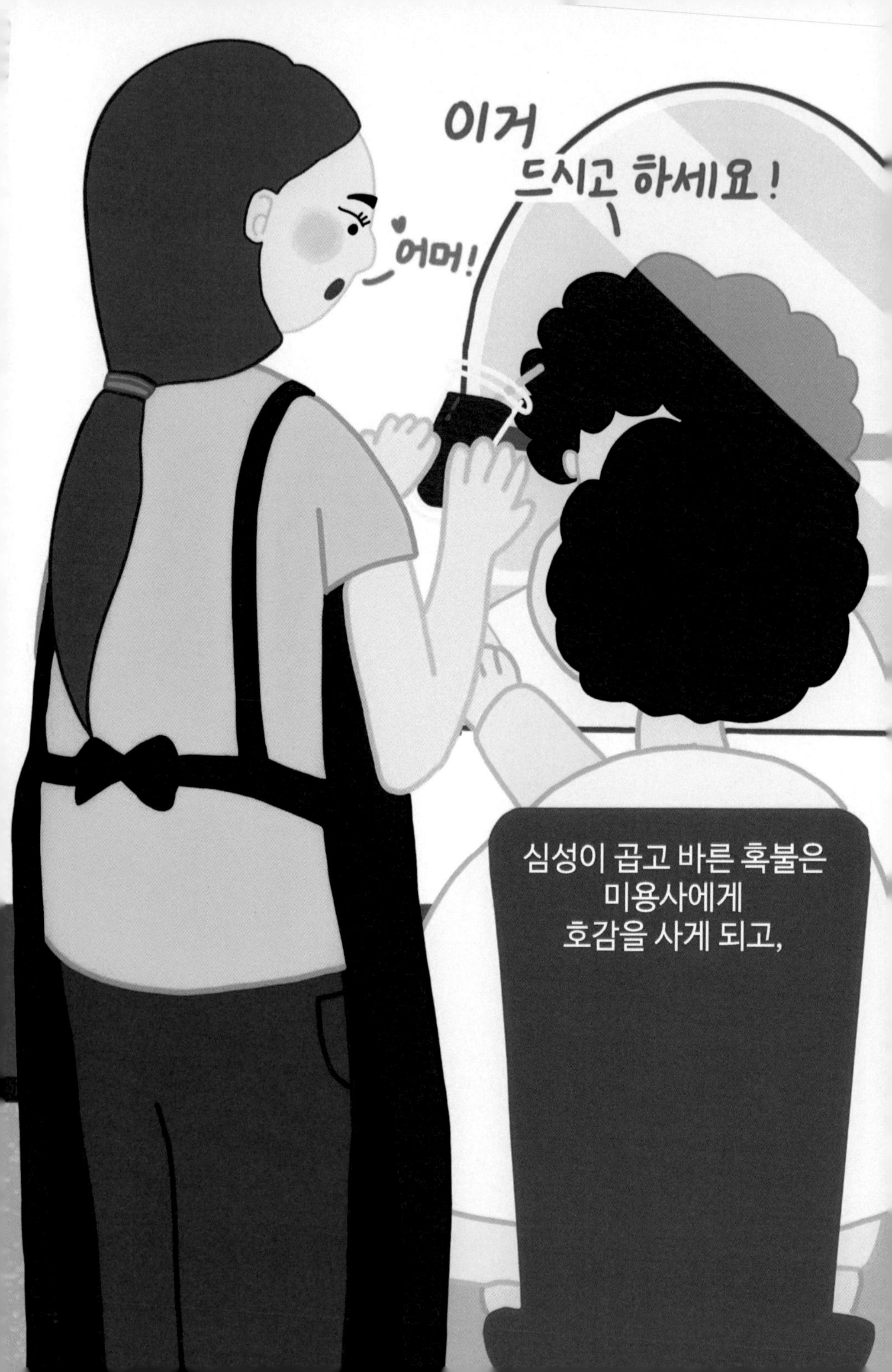
이거
드시고 하세요!
어머!
심성이 곱고 바른 혹불은
미용사에게
호감을 사게 되고,

무료 미용 이벤트를 받게 되었습니다.

자신의 머리에 크게 만족한 혹불은

이런 멋진 변화를 친구들에게 자랑했습니다.

여기서 했어!

잘됐다~

도깨비
미용실

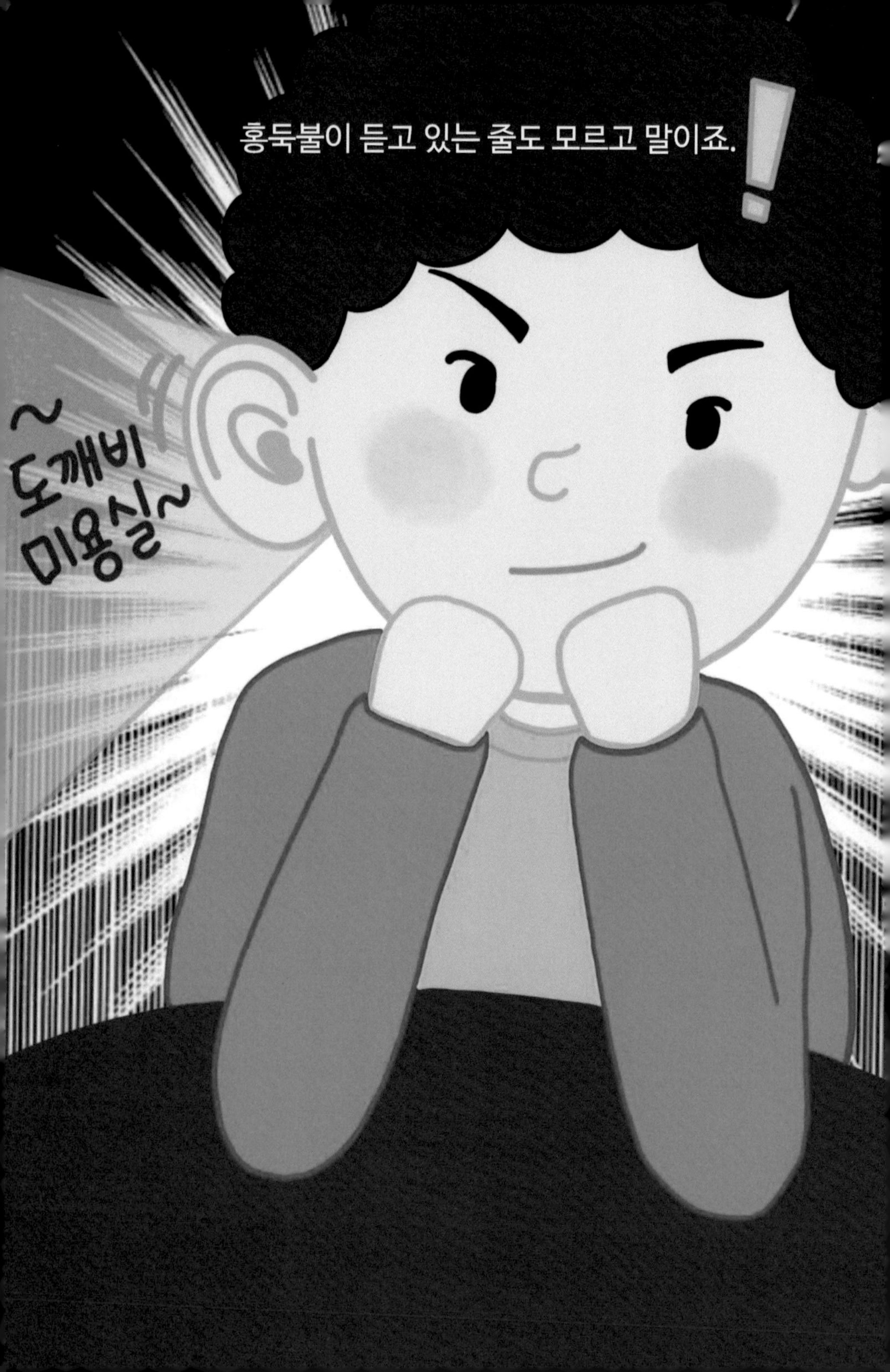
홍두불이 듣고 있는 줄도 모르고 말이죠.
~도깨비 미용실~

둑불은 바로
도깨비 미용실을 찾아갔습니다.

둑불도 혹불과 같은 악성 곱슬을 가지고 있었습니다.

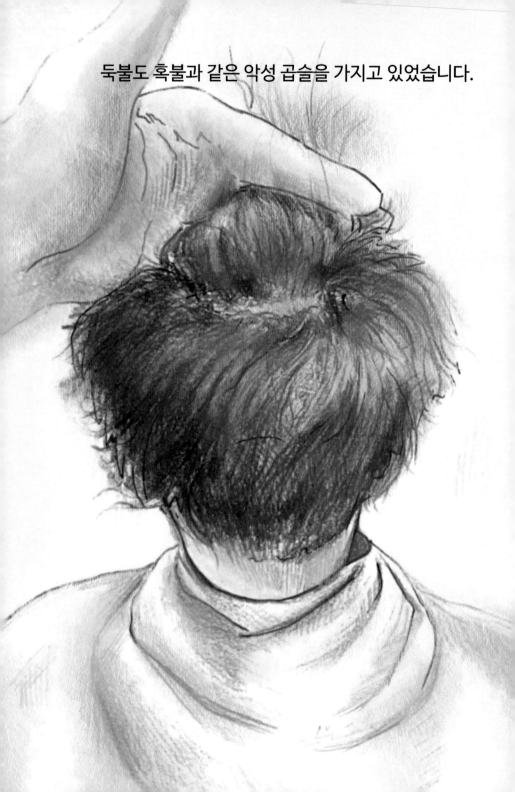

하지만 혹불과 달리 둑불은
심성이 고약했습니다.

가격도 너무 비싸네요~
생각보다
인테리어도 별로고… 제 머리 망
면 환불해줄거죠? 미용 자격증은
있으세요?
근데 여기 과자는
없나요? 서비스가 영…

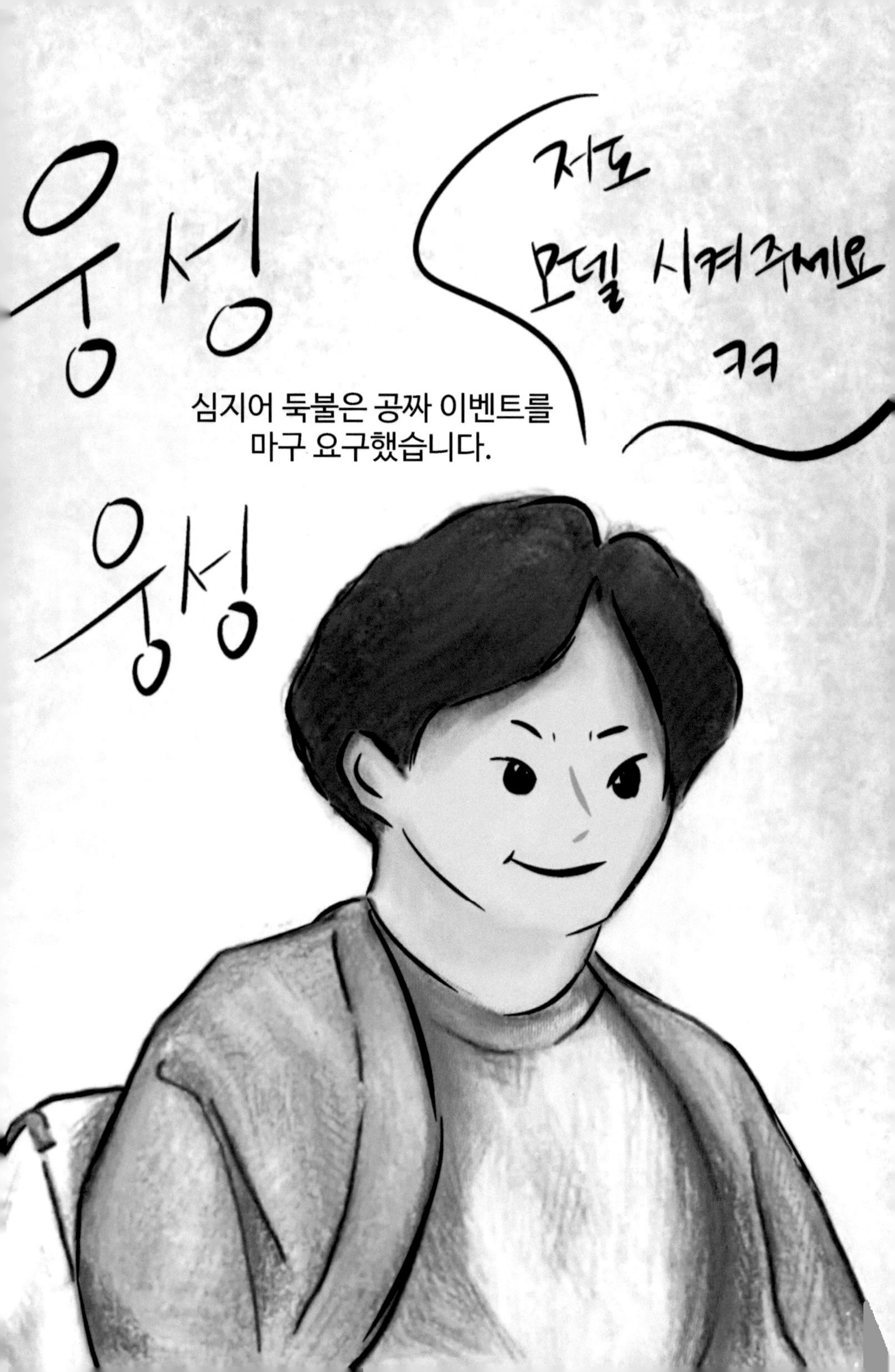
웅성
심지어 둑불은 공짜 이벤트를
마구 요구했습니다.
저도
모델 시켜주세요
ㅋㅋ
웅성

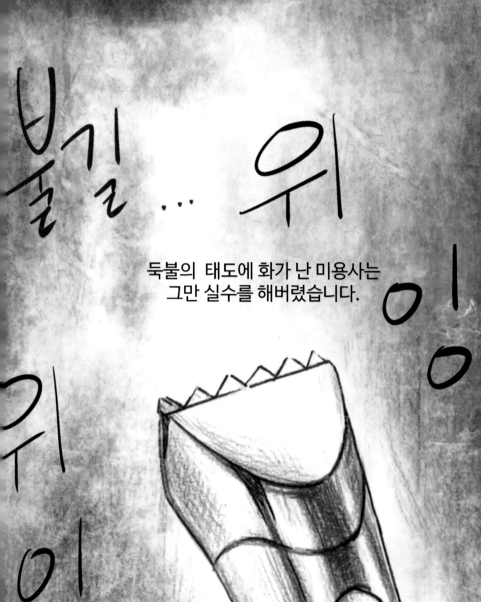

둑불의 태도에 화가 난 미용사는
그만 실수를 해버렸습니다.

둑불은 머리를 보고 크게 좌절했습니다.

그런데 과연…실수였을까요?

끄억……

견우와
직녀

견우와 직녀
202x년, 한커플이 연애를 시작했습니다.
남학생의 이름은 견우진, 여학생은
송직여였죠.

둘은 행복한 연애 생활을 즐겼습니다.

그러나 그 행복은 오래가지 않았습니다.
서로가 서로에게 너무 빠져 각자 할 일을
못 했기 때문이죠.

그들은 중간고사를 크게
망쳐버렸지만
통화를 하며 서로를 위로했습니다.

결국 그들은 기말고사가 끝나는
7월 7일까지 성적을 올리기로 약속하고

그들의 연락 수단이었던 인터넷을 끊어버렸습니다.

시험 잘 봤어? ㅎ..
나 56점임… 어떡해
어머니 많이 화나셨어?
보고싶다…
괜찮아?
우리엄마 너무 화내셔서
말도 못 걸겠엉ㅇ ㅠㅠㅠ
진짜 인터넷 잘라버린대 ㅠㅠㅠㅠ
나도보고싶어ㅓ…
??

밤새 열심히 공부했습니다.

그렇게 기말고사 당일이 되었고, 열심히
공부한 둘은 수월하게 문제를
풀어나갔습니다.

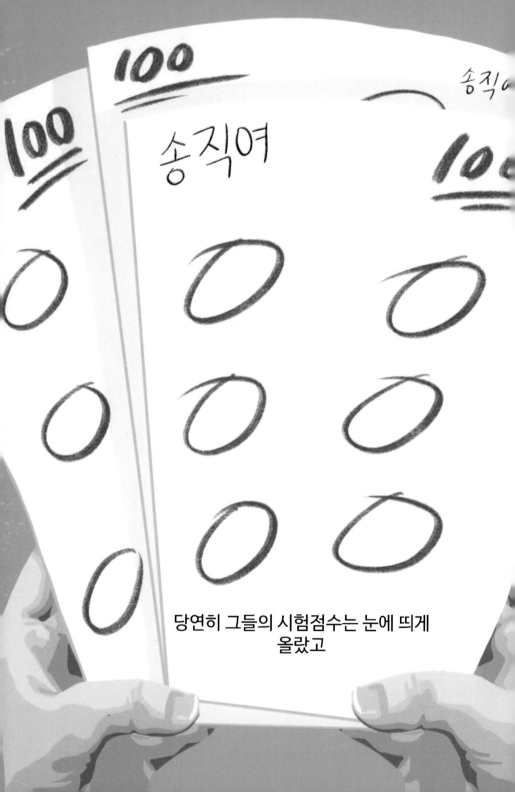

당연히 그들의 시험점수는 눈에 띄게
올랐고

그들은 못했던 연락을 주고받고, 성공적으로 해낸
시험에 대해 신나게 대화했습니다.

오른 시험점수를 본 부모님들은
아주 만족하였습니다.

7월 7일이 되고, 약속대로 인터넷이
연결되었습니다.

인터넷이 그들의

우리 오랜만에 연락하네

나도 너무 보고 싶었어! ㅠ…

앞으로도 계속 연락하자 ㅎㅎ

사랑해~💕

사랑해 ♡

오작교가 된 셈이죠!

그들은 이 때의 교훈으로 사랑과 공부 둘 다 열심히 챙겨
좋은 대학교에 입학하게 됐고 이 이야기는 끝이
났습니다.

흥부와 놀부

옛날 한 어느 마을에 열심히 면접
준비를 하는 흥부가 살고 있었어요.

반면 놀부는
면접 준비는 하지 않고
놀기만 하고 있네요.

드디어 면접을
보는 날이 되었어요.

화창한 아침이 밝았지요.

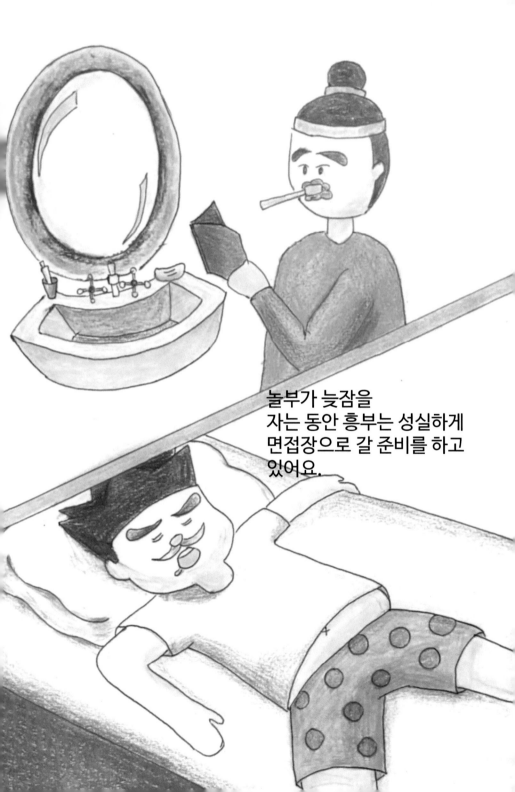

놀부가 늦잠을
자는 동안 흥부는 성실하게
면접장으로 갈 준비를 하고
있어요.

흥부가 잔뜩 긴장한 모습이에요.

위험에 빠진 사람을 도와준
흥부의 모습을 면접관이 목격했나 봐요.

"아니, 이런 좋은 방법이 있었다니!"

흥부가 쓴 블로그를 본 놀부는 그만 나쁜 마음을 먹어 버렸어요.

흥부의 성공의 비결을 들은 놀부는
자신이 노력하기보단 누군가를 돕는
일을 찾는 것에만 급급했어요.

하지만 진심이 아닌 도움은
오히려 다른 사람을
불쾌하게만 만들었어요.

놀부는 간절한 노력이 부족했기에
불합격을 맞이해야 했어요.

놀부는 자신이 부족한 게 무엇인지 생각하고
또 생각했어요.

그리고 깨달았죠.
과거 자신이 진심으로 공부하고 노력하기보다
운에만 기대어 좋은 결과를 바라고
있었을 뿐이었다는 걸요.

그 후 놀부는
그 누구보다 열심히
공부했어요.

철저하게 준비해 면접도
다시 응시했어요.

마침내 놀부는 합격의 영광을 얻을 수 있었답니다.

20XX년, 혜성처럼 등장한 아이돌 '더건'이
엄청난 유명세를 끌고 있었어요.

그날도 더건이는 평소처럼 대기실에서
무대를 준비하고 있었죠.

그때, 마침 더건이의 스타일리스트가
그 앞을 지나가고 있었어요.

'더건'님
대기실

항상 혼자서만 무대를 준비하는
더건이가 궁금했던 그녀는 몰래
훔쳐보기로 했어요.

그리고 스타일리스트는 문 틈으로
더건이를 보고
깜짝 놀라고 말았어요.

왜냐하면 더건이의 발이 토끼발이었기 때문이었어요!

충격을 받은 스타일리스트는 참지 못하고 익명 게시판에
더건이의 비밀을 올려버렸어요.

더건이의 충격적인 비밀은 순식간에 퍼져 나갔고
사람들의 반응은 뜨거웠어요.

계속해서 퍼져 나가던 이 이야기는
결국 더건이한테까지 들리게 되었어요.

자신의 비밀이 퍼지게 된 것에 분노한 더건이는
그 글이 올라온 익명 게시판들을 모두 없애버렸어요.

그 후 소문은 잠잠해졌고,
몇 년 뒤 익명 게시판들은 다시 생겨났어요.

사람들은 처음에는 이런저런 말이 많았지만
나중에는 더건이에게 용기를 주고 처음과 같이
봐주었어요.

스타일리스트 또한 더건이를 찾아가 진심으로 용서를 빌었고,
더건이도 용서해주었어요.

그리고 더건이는 자신의 숨기고 싶었던 비밀을
인정하고 더 성장하게 되었어요.

그렇게 전보다 더 많은 인기를 얻게 된 더건이는
행복하게 잘 살았답니다.

선녀와 나무꾼

클럽에 간 나무꾼…

그곳에서 너무나 곱고 화려한
선녀를 만났고
나무꾼의 온 심장이 요동쳤어요.

나무꾼은 용기내어 선녀에게
연락처를 물었고…

둘은 사랑에 빠졌어요.

그들은 가을에 단풍 구경도 가고,

여름에 한옥마을도 가고,

겨울에 카페에서 책도 읽었어요.

몇 년 후, 남자가 여자에게
프로포즈를 하였고,

그들은 결혼을 했어요.

그 후 그들은 몇 년 간 즐거운 결혼생활을 했어요.

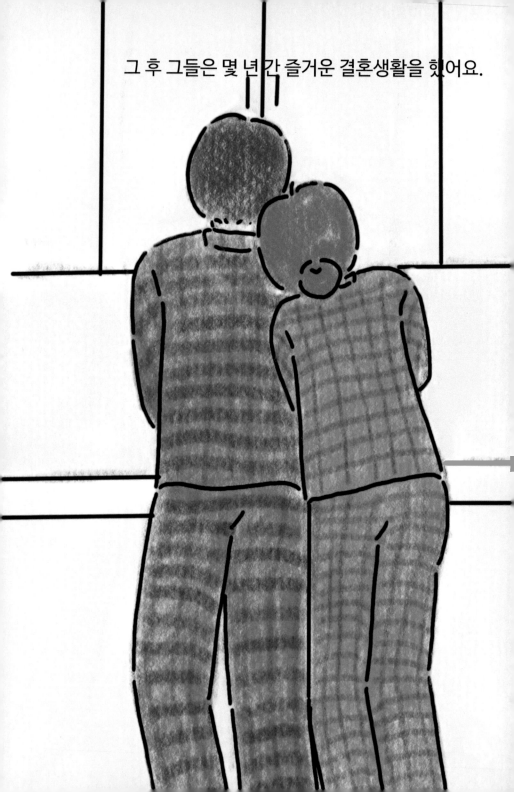

그러던 어느 날 선녀가 나무꾼의
휴대폰에서 우연히, 그가
자신과 결혼한 이유가
돈 때문임을 보게 되었고

선녀는 슬픔에 빠졌어요.

그래서 선녀는 나무꾼 몰래 야반도주를 했어요.

다음날
나무꾼은 선녀가 사라진 것을 알아채고 그녀를
찾아다니다가 테이블 위에 놓인 이혼서류를 발견했고,

그녀가 다신 돌아오지
않을 것이라는 생각에
슬픔에 빠져 자신의 잘못을
반성하게 되었어요.

이제 막 스무 살이 된 '샘물'에게는
한 가지 큰 고민이 있었어요.

그건 바로 자신의 얼굴이 못생겨도 너~무 못 생겼다는 것!

예쁘지 않은 얼굴 때문에 항상 스트레스였던 샘물이는
스무 살이 되면 성형수술을 하기로 결심했어요.

그리고 현재, 조르고 졸라 부모님의 허락을 받아낸 샘물이는
드디어 쌍꺼풀 수술을 하게 되었어요.

쌍꺼풀 수술 후 달라진 자신의 얼굴을 보며
샘물이는 매우 기뻐했어요.

다음 날, 몰라보게 예뻐진 샘물이의 모습을 보고
학교는 떠들썩 해졌어요.

그러나 평소 샘물이를 싫어했던 세미는
달라진 샘물이를 아니꼽게 여겼죠.

샘물이의 인기가 나날이 많아지자
세미는 자신도 성형을 하기로 결심했어요.

그렇게 쌍꺼풀 수술을 마친 세미는
샘물이의 코를 납작하게 눌러줄 생각에
무척 들떠 있었어요.

그러나, 그 후 학교에 갔지만 아무도 세미를 신경 쓰지 않고
오직 샘물이에게만 관심을 주었어요.

아무도 자신을 봐주지 않자 화가 난 세미는
이어서 코수술을 하기로 결심했어요.

수술이 끝나고 조금 아픈 느낌이 있었지만
세미는 별로 신경 쓰이지 않았죠.

하지만 코수술을 해도 학교의 상황은
여전히 달라진 것 없이 그 전과 같았어요.

세미는 더 예뻐지기 위해 결국 턱 수술까지 하기로 했어요.

그러나 수술 후 부작용이 찾아왔고, 세미의
얼굴은 점점 망가져갔어요.

그제서야 세미는 성형 중독의 위험함과
외모보다는 내면이 중요하다는 것을 알게 되었어요.

이제 성형은 그만두겠다고 다짐한 세미는 샘물이에게
사과하고, 자신을 가꾸기 위해 열심히 노력하며
행복하게 살았답니다.

작가 소개

김희수
sanandgang1646@naver.com
-혹불이 청년, 견우와 직녀

이예은
yeni26@naver.com
 -혹불이 청년, 견우와 직녀

조은기
jay060102@naver.com
-혹불이 청년, 견우와 직녀

박다희
dahee1373@naver.com
-흥부와 놀부, 선녀와 나무꾼

권예은

yeye0601@naver.com
-흥부와 놀부, 선녀와 나무꾼

양봄이

yangbomyi0524@gmail.com
-흥부와 놀부, 선녀와 나무꾼

석민주

ann903070@naver.com
-아이돌 발은 토끼 발, 젊어지는 샘물

신민정

mjann0613@gmail.com
-아이돌 발은 토끼 발, 젊어지는 샘물

임수정

miko727@naver.com
-아이돌 발은 토끼 발, 젊어지는 샘물